Ding-a-riiiiiiing.

"Fe wna i ateb y ffôn ac yna
gallwn ni chwarae ar ôl
i Meg fynd i gysgu," meddai Mam.
"Bydd hi'n union fel monstyr bach
os na chaiff hi ei chwsg!"

"Monstyr?" meddyliodd Rhys.
Aeth e i weld Meg. Doedd hi ddim yn cysgu.

Y Monst Bach

Lee Carr a Jane Massey

Trosiad Hedd a Non ap Emlyn

DREF WEN

Roedd Rhys yn aros. Roedd hi'n bryd i Meg, ei chwaer fach, fynd i gysgu ac yna byddai e'n cael chwarae gyda Mam.

"Dwi'n barod," meddai Rhys, ond yna, canodd y ffôn.

"Cer i gysgu!" sibrydodd Rhys,
a dechrau cyfrif i ddeg.
Ond pan edrychodd i mewn i'r cot ...

íííí!"

gwichiodd Meg a chydio yng ngwallt Rhys. Roedd hi'n dechrau ymddwyn fel **monstyr bach**!

"Y Monstyr Bach!"
gwaeddodd Rhys. "Cer i gysgu."
Pwyntiodd Meg ei bys at
y Ddraig Werdd.

Estynnodd Rhys y ddraig
iddi, ond ...

taflodd Meg y ddraig
at Rhys!

Yna'r neidr ffug.

"Y Monstyr Bach gwirion!" meddai Rhys.
"Cer i gysgu!"

"Prrrr! Prrrr!"
chwyrnodd y Monstyr Bach.

Ochneidiodd Rhys. Sut roedd e'n
mynd i chwarae gyda Mam
os oedd monstyr yn y tŷ?

Rhwbiodd Rhys gefn y
Monstyr Bach yn ysgafn. Gorweddodd hithau yn y cot.

Roedd Rhys yn meddwl bod
y **Monstyr Bach** yn cysgu o'r diwedd,

ond yna, daeth mwg o'i chlustiau a dechreuodd hi
dyfu'n fawr . . .

yn fawr iawn

nes roedd y cot yn gwegian!

Clywodd Rhys Mam yn
dod i fyny'r grisiau!
Dechreuodd e ganu er
mwyn boddi'r sŵn ...

Cerddodd Mam heibio. Roedd yn rhaid i Rhys gael y **Monstyr Bach** i gysgu cyn i Mam ei gweld!

Canodd yn uwch
ac yn uwch

Ac wrth i Rhys ganu,
dechreuodd y **Monstyr Bach**
fynd yn llai.

Stopiodd y mwg
ddod o'i chlustiau
a diflannodd y blew.

Diflannodd ei chrafangau
a'i dannedd mawr

gan adael merch fach hyfryd
yn cysgu'n braf.

Doedd dim rhaid i Rhys aros bellach.
Rhoddodd sws i Meg a rhedeg i lawr y grisiau.
"Barod i chwarae?" gofynnodd Mam.
"Ydy dy chwaer yn cysgu?"

"Fel babi," gwenodd Rhys.

"Fel babi."